KB178249

사무친 그리움이 아니어서 좋다

사무친 그리움이 아니어서 좋다

발 행 | 2024년 7월 8일
저 자 | 법혜
편 집 | 김기린
펴낸이 | 한건희
펴낸곳 | 주식회사 부크크
출판사등록 | 2014.07.15.(제2014-16호)
주 소 | 서울특별시 금천구 가산디지털1로 119 SK트윈타워 A동 305호
전 화 | 1670-8316
이메일 | info@bookk.co.kr

ISBN | 979-11-410-9390-7

www.bookk.co.kr

사무친 그리움이 아니어서 좋다

법혜 지음

시인의 말

초등학교 5학년 때 산문반 선생님의 칭찬 한마디는 소설이나 시를 가리지 않고 끄적이게 했고, 스무 살 때 월간 문학지에 실린 두 편의 시는 일기 쓰듯 날마다 뭔가를 쓰는 버릇을 들였다.

지금 사는 곳에서 엎어지면 코 닿는 곳이 태어난 곳, 어린 시절 보았던 오솔길 숲과 산을 기억한다는 건 다행인 듯하지만, 알고 보면 불행한 일이다.
'십 년이면 강산이 변한다'라는 말은 고전 속 옛말이기에.

그래도 고향의 자연을 눈에 담고 글에 담으련다.
그리고 사람과 사람의 마음을 선지식 삼아 마음의 키가 한 뼘 더, 마음 밭이 한 뼘 더 크기를 바라면서 오늘도 끼적이련다.

2024. 7. 무위산방에서 법혜

차 례

제 1 부

안부

잘 지내느냐
아픈 데는 없느냐
묻기보다는
삼키는 게 나을 것 같아
안부를 삼킵니다
삼키는 게 익숙해졌습니다

요즘 어떻게 지내느냐
건강은 좀 나아졌느냐
그대도,
묻는 대신 삼키면 좋겠습니다

풍경(風磬)

처마 끝 물고기
바람에 기대어
말을 건네온다

스치는 바람에
마음 얹지 말라고

불어오는 바람에
마음 흔들리지 말라고

이는 바람에
설레지 말라고

기슭에 버리고 온 뗏목
돌아보기 없기라고

님의 향기 고이 품고
뒷걸음질 치지 말라고

늙어가는 중

손톱을 깎을 때는
안경을 벗어야 하고
발톱을 깎을 때는
안경을 써야 하는

책을 읽어야 할 때는
안경을 벗어야 하고
텔레비전을 볼 때는
안경을 써야 하는

지금
순간순간
늙음을 만나고 있는
중이다

미역국을 끓이며

가을에 태어나 가을 내음 좋아하는 빙충이
오늘 당신을 떠올리며 미역국을 끓입니다
날마다 태어나길 거듭하매
난 날이 무에 따로 있겠냐마는
정작, 당신께선 받아야 하겠기에

당신만을 생각하면서 끓이는 미역국이건만
정성이 모자라는지 간이 맞질 않네요
생각해 보니 당신이 무엇을 좋아하였는지
무얼 맛나게 자셨는지
잘 모릅니다

그저
맛이 변해가거나
애물단지들이 거들떠도 안보는 음식들을
앞에 모다 놓고 잘 드시는지라
참말로 맛난 줄 알았습니다
참말로 맛나서 드시는 줄 알았습니다

음식 타박하면 죄 받는다던
그런 당신을

타끈하다 했습니다
궁상맞다 했습니다
못마땅해했습니다

가을 내음 맡으며 세상에 온
당신의 애물단지가
가을 풍경도 너무 좋아하고
언제나 가을 세상 같기만을 바랐던 빙충이가

열 달 동안 밥도 못 먹게 했다면서요
찔레순이나 시영만 꺾어 먹게 했다면서요
밥 냄새 맡는 것도 힘들게 했다면서요

철이 나려는지
홀로 미역국을 끓입니다

* 타끈하다: 인색하고 욕심 많다

사람책

썼다가 지우는
원고지는 아니나
날마다 개정할 수 있는

지나온 모든 세월이
머리끝에서 발끝까지
빼곡히 촘촘히 선명히
새겨져 있고 그려져 있는

세월이라는 인쇄소에서
발행됐으나 잘못 입력된
오탈자가 수두룩 빽빽해도
있는 그대로 읽어야 하는

안방에 둘러앉아 먹는 집밥 같은
우스개와 감동이 가득하고
별미 같은 사연에 철학에 고전까지
천층만층 모든 분야가 총망라된

날마다 새롭고 순간마다 새로운
이야기 한가득 넘치게 들어있는,

깊은 밤의 기도(祈禱)

만약,
죽음을 관장하는
神이 있다면 들어주소서!

세상에 오래 두지 마소서
고통 없이 거두어 가소서
고통이 있더라도 길지 않게 하소서
그뿐입니다

만약,
죽음을 받아들이는 神이 있다면
너무 고통스럽지 않게 하소서
두려움 없이 맞이하게 하소서
미련에 끄달리지 않게 하소서
어서 오라 기꺼이 맞이하게 하소서
오직,
그뿐입니다

만약,
삶을 깁는 神이 있다면
순간순간 하는 선택이 바름이게 하소서

순간순간 후회 없도록 하소서
잘못된 선택이었다면 후회가 아닌
공부 삼고 거울삼으며
과보(果報) 또한 기꺼이 받게 하소서
오
직,
그뿐입니다

어제는, 오늘은.

어제는 옹졸했다면
오늘은 여유로워야 하리
어제는 여유로웠다면
오늘은 더 여유롭기를…!

어제는 움켜잡았다면
오늘은 놓아야 하리
어제는 놓았다면
오늘은 걸림 없기를…!

어제는 찡그렸다면
오늘은 웃어야 하리
어제는 웃었다면
오늘은 활짝 웃기를…!

어제는 채웠다면
오늘은 비워야 하리
어제는 비웠다면
오늘은 텅 비워내기를…!

어제는 못마땅했다면

오늘은 너그러워야 하리
어제는 너그러웠다면
오늘은 더 너그럽게 품기를…!

어제는 내 것만 고집했다면
오늘은 남의 것도 받아들여야 하리
어제는 남의 것을 받아들였다면
오늘은 모든 것을 받아들이기를…!

시나브로
시나브로
시나브로

어제와 다르게
오늘은 더
나 아 지 기 를…!

오직 마음만이

알다가도 모를 것이
마음 세상이어라
알 듯 말 듯 헷갈리는 것이
마음 세상이어라

오직 마음
마음만 아는 세상이어라

그 순간만이 진실이었을
그 순간만이 진심이었을
그 순간만을 추억하고
그 순간만을 집착하고

끄달려 있고
걸려 있고
움켜잡고 있고
휘둘리고 있고

괴로움은
돌고 돌고 돌고…,

끝낼 수 있는 것도
오직
마음이어라

길

하 많은 세상
하 많은 사람

하 많은 삶
하 많은 길

삶은 길이어라
길은 삶이어라

욕망 길
성냄 길
어리석음 길
걱정 후회 길
불안 두려움 길
가여움 안타까움 길
속상함 슬픔 길
흥분 들뜸 길
부끄러움 길
아까운 인색 길
시샘 질투 길
짜증 스트레스 길

허세 허풍 길
말빛 늘림 길
......,

안심 평안 길
보람 뿌듯 길
사랑 연민 길
나눔 기쁨 길
화합 평화 길
이롭고 이로운 길

옳은 길
바른길
......,

길,
길!
길.

나는
어떤 길?

뜰

햇살이
바람이
꽃이
나비가
먼지가
빗물이
이슬이
서리가
눈이
벌이
새가
머물다 가는 뜰

내
마음 뜰엔
누가
무엇이
머물다 갈까?

이끌다 이끌리다

사람을 해치거나
죽이는 일 아니라면

주지 않는 걸 뺏거나
훔치는 일 아니라면

잘못된 가치관 이성관으로
대상 삼고 취하는 일 아니라면

거짓말 거친 말 이간질
쓸데없는 말 하는 게 아니라면

이성과 판단력을 흐리고
중독되게 하는 일 아니라면

잘못 가는 길은 없어요
틀린 길은 없어요

잠시 멈추어 볼래요

일부러 만들 수도

맞출 수도 없는
한 아름 멋진 선물이
기다리고 있을지도
모를 테니까요

울타리와 담

담이라는 말보다
울타리라는 말이
더 푸근하게 와닿아

하지만 담도 담 나름

높고 두텁고 짱짱하고
뽀족하고 날카롭고
자물쇠 철문으로 이어지는 담은
마음의 벽 같아

낮고 허름하고 울퉁불퉁
구불구불 들쭉날쭉 흙담 돌담은
기대고 앉아도 좋을 어른 품 같아

사람이
마음이 그래

베풂 나눔
사랑 용서 바람이
언제고 무시로 드나들 울타리 같거나

탐욕 성냄
미움 증오 얼음이
켜켜이 쌓이는 철벽 담 같거나

그래도 꿋꿋하게

개구리알들은 잘 있을까
보러 갔는데

그 옆에서 꿈틀꿈틀
너는 누구니

눈
바람
번개
벼락
천둥
비

앞다투듯
몰아쳐 와도
아랑곳 않고
꿋꿋하게
피어나고 있었네
파릇한 봄!

혹독한 눈바람 속

꽃망울 부풀리는 참꽃
풀협죽도 매발톱꽃 조팝나무꽃
파릇한 봄이 기지개를 켜니
호미 들고 덩달아 기지개 켠다

냉이 달래 메꽃 뿌리는 덤

예쁨과 좋음

올려다보는 꽃도 예쁘지만
몸을 굽히고 무릎을 낮추며
가만히 보는 꽃은 더 예쁘다

앞에 나서는 사람도 좋지만
뒤에서 소리 없이 응원하며
할 일만 하는 사람은 더 좋다

삶과 죽음

산다는 건
죽어가는 일

죽어간다는 건
갈림길에 서는 일

삶과
죽음은
되살아 오는 일
잊히는 일

금방 곧 잊히거나
길이길이 살거나

날마다
시나브로 죽어가고
날마다
성큼성큼 살아온다

안다고요?

글만 보고 알 수 있나요
글씨를 보면 알 수 있다고요
정말요?

손금만 보면 알 수 있나요
사주를 보면 알 수 있다고요
정말요?

듣기만 해도 알 수 있나요
만나 보면 알 수 있다고요
정말요?

한 번만 보면 알 수 있나요
몇 번 보면 잘 알 수 있다고요
정말요?

보았다고
들었다고
만났다고
눈을
귀를

마음을
믿지 마세요
다 안다고 할 순 없어요

그저,
그 순간 그 소리
그 모습만일 수도 있으니까요

보았기에
들었기에
만났기에
안다고 할 수도 있어요

생각하고
말하고
움직이는 건
오랫동안 익혀오고
익어지고 길들여지고
버릇으로 절여지고
굳어진 것들이
저절로 나올 때가 많으니까

그래도
'안다'는 말은

쉽게 하지 말기를요

나도 '나'를 잘 모르는데요 뭘,

만약, 만약에

내가 죽어
다시 태어난다면
살면서
봄에 즐겨
먹던 것으로 나야 한다면
그래야만 한다면

졸방제비꽃으로 날라나
진달래로 날라나
무잔대로 날라나
삽주싹으로 날라나
쑥이나 까치수염
시영으로 날라나

풀로 날라나
꽃으로 날라나

만약에
그렇게 태어난다면
종일 있어도
사람 구경 어려운

산비탈
네 옆이면 좋겠어

*무잔대 : 영아자를 이르는 봉평 말

편할 텐데

풀잎의 이슬 같고
마른풀의 서리 같고

보면 일어나고
보면 사라지는 것

올 때 되어 오고
갈 때 되면 가고

바람처럼 왔다가
이슬처럼 갈 수 있는 것

그런 줄 알면
그렇게 꿰뚫어 알면

화나고 속상하고
서운하지 않을 텐데

움켜잡지 않고
부여잡지 않고
그러잡지 않고

내가 그렇듯이
너도 그렇다고
모두가 그렇다고

그런 줄 알면

제 **2** 부

사랑과 이별

사랑하는 데는
많이 배웠고
많이 못 배웠고
아무 쓸모 없어라

이별하는 데는
덧셈 곱셈 나눗셈
맞춤법 토씨 글법 말법
아무 쓸모 없어라

생명 사랑은
나 아끼듯
너 아끼면서
이해하고 배려하고

못된 버릇 이별은
암 덩어리 잘라내듯
불덩어리 놓아버리듯

한칼에 단박에
탁!

마음먹기 달렸다니

안개

바쁜 일 없다면
그대로 있어도 좋을

두 팔 벌려 반가이 맞아도
해님이 방긋 웃기만 하면
잘 있으라는 말도 없이 가버리는

이보시우야
내 떠나기 전
네모 틀에 맘껏 담아 보시우야

스스로 그러하고 그러함을
멈추고 가만히 바라보아야
알 수 있는

* 이보시우야: '여기 좀 봐요'라는 봉평 말
* 보시우야: 담아 '봐요'라는 봉평 말

아직은

겨울이 이미
이만큼 와 있어도
아직은
가을이면 좋겠다 싶고

여름이 이미
이만큼 와 있어도
아직은
봄이면 좋겠다 싶은

아직은,

내 지나온 삶에도
'아직은'
이고 싶은 날
많고 많은데

이제는
지금은
'어느새'가 많아져
'듦'을 맞다 보면

'아직은'이
슬며시 찾아오는
아직은 가볍기만 한
내 온 삶

싸늘함도 볕도 적당한 날
더할 나위 없이
적당하게 행복하기를

아직은,

소원

봄,
봄,
봄!

냉이 씀바귀 캐러 가는 사람에겐
냉이 씀바귀가 봄이고
매화 진달래 보러 가는 사람에겐
매화 진달래가 봄입니다

가겟세 못 내는 이에겐
가겟세 낼 수 있는 날이 봄이고
집세 못 내는 이에겐
집세 낼 수 있는 날이 봄입니다

뜻밖의 사고나 고질병으로 아픈 사람에겐
통증 없이 씻은 듯 낫는 날이 봄입니다
우환 근심 걱정 속에 있던 사람에겐
근심 걱정 사라지고 웃는 날이 봄입니다

오랜 핍박 억압 착취 불평등 속에서
평등과 자유를 열망하는 사람에겐

핍박 억압에서 벗어나 평등과 자유를
이루는 날이 곧 봄입니다

봄을 기다리는 모든 이에게
봄이 닿기를
두 손 모읍니다

봄 눈(진부면 산불 소식을 듣고)

서둘러 보낼 것도
서둘러 갈 것도 아니려만
가기 싫은가
보내기 싫은가

가는가 싶으면 여기 그 자리
오는가 싶으면 다시 그 자리
봄이 주춤
겨울이 주춤

봄, 그래도 오신다네
겨울, 기필코 가신다네
마중 간다네
배웅한다네

* 옆 동네 큰불이 나서 아홉 시간 만에 꺼졌다는 소식에

나무

나무에 기대어 뿌리 내리고
그 나무가 죽을 때까지
마치 자기가 그 나무 인 양
본디 나무 모양을
온 데
간데
없이 만들어 버리면서
그 나무 진액을
빨아먹으며
살다가
살다가
더 빨아먹을 진액이 없으면
그때서야 말라 죽는
나무

내 안의 욕망이
내 안의 성냄이
내 안의 어리석음이
'나'라고 설치고 있지는 않은지
본디 '나'를 뺏기고 있지는 않은지
야금야금 '나'를 죽이고 있는 건 아닌지

숲속 나무들이 일러 준다

"살펴보라!"

무릎 꿇고 보는

풀꽃 세상 엿보다
사부작사부작 걷다 보면
만나는 풀
꽃들
으레
덤덤히 지나치거나
다가가 무릎을
꿇고서라도 보거나
향을 맡거나
꽃잎을 따서 먹어 본다

– 인간이 붙여준 것이지만 –
이름 있는 꽃들은
가만히 불러주기도 하고
모르면 고작
너는 누구니? 반말지거리하다가

서울서 온 벗들에게 의기양양
풀이름 꽃 이름을 알려주다가
모르는 풀꽃 만나면
꽃 이름 풀이름

'검색' 한다
비슷한 꼴 엇비슷한 이름이
이렇게나 많다니!

헷갈리고 알쏭
달쏭이지만
자연 세상은
늘 그렇듯
무설설법(無設說法)
강연장이다

사람도 그러하다고
사람 세상도 그렇다고
생김새도 제가끔
성깔도 제가끔
성향 취향 성품도 제가끔
그러니
있는 그대로 보아야 하고
있는 그대로 볼 줄 알아야 한다고.

보고 싶으면 거기로 가 봐

할미꽃!
어릴 때 나를
사로잡았던 마을 부잣집 브라운관
거기에 나왔던 전설의 고향
속 할미꽃 이야기
– 정말일까?

할미가 보고 싶으면
산소에 가 봐

갈 곳 없고
비녀마저 잃고
흰 머리칼 바람에 맡긴 채
구부정 꼬부라진 등허리
바닥에 닿을 듯 얼굴 떨구고는
기다리다
기다리다
꽃이
된
할미를 만날 수 있어

도시에서 살러 온
사람들은
산소에 가기 싫어
집 마당으로
모셔가드만
오래도록 못 보드만

기다리던
그곳으로
떠나시는가 봐

팔석정(八石亭)

그 자리에서 오롯이
만고풍상(萬古風霜) 맞으면서
생멸(生滅)의 아름다움을
펼쳐주는데

겨우 몇십 년 살이
어느 날
발길 멈추고
이름 짓다 노닐다
그저 그렇게
머물다 떠났다는

뒤따르는 몇십 년 살이들
앞서간 몇십 년 살이 노닌
흔적 찾다 감탄하다
떠난다

* 팔석정: 조선 전기 시와 글씨로 유명했던 양사언 (1517~1584)이 강릉 부사로 일할 때 봉평에 들렀다가 8 개의 바위와 소나무들이 펼치는 풍경을 보고 반해 정사 (政事)도 잊은 채 어드레 동안 신선처럼 지내다 바위마다

글씨를 새겨 놓고 놀다 갔다는 설과 율곡의 맏형 죽곡 선생이 정자를 지어놓고 쉬던 곳이라는 설이 있는 곳.

홀로 있는 시간

닦는다
보이지 않는 곳을
눈에 띄지 않는 곳을

창틀
문틀
냉장고 문손잡이
구석,
화장실 구석
틈바구니 틈,
틈을

언뜻 봐서는 모르는 곳
그냥 봐서는 알 수 없는 곳

마음 생각 느낌 기억
또한,

지금, 休

쉴 休는
사람이 나무에
기대어 있는 거라네요

지금
잠깐
쉬실래요?

당신을 기억하는 그 기억에 대해

– 아버지를 기리며

무시이래(無始以來)
시나브로 싹 튼 지독한 증오심은
임종(臨終)하는 그 순간까지도 이어졌다지요

女息을 부르는 까만 입술
가쁜 숨결 사이로
흘러나오는 신음마저도 꺼리며
고개 돌려 버렸다지요

몰랐데요
증오심은 또 지독한 그리움이 될 줄

당신께선 가족에겐 냉정하셨다지요
당신밖에 몰랐다지요

생각이 난대요
얼콰하니 기분 좋게 취해 들어오셨던 날
무릎 가차이 어린 여식을 앉히고는
등을 투덕투덕하시면서
– 여식을 이렇게 대한 것은 처음이었대요

"니는 꼭 연애 결혼해라"

이젠 알 것 같다는데
이제는 알겠다는데

당신 겨드랑이에서 꼼질대던 날개
끝내 펴보지도 못하고
던져버린 영혼

가장이 가장답지 못한 채
아비가 아비답지 못한 채
자식이 자식 답지 못 한 채
불혹(不惑)도 넘기지 못하고
서둘러 떠나셨다지요

꼼질 거리던 그 날개
여식의 겨드랑이에 붙여주고는

Road Kill

엷은 잿빛 안개가 사방을 덮은 아침
검은 바퀴벌레들이 잿빛 안개 속
이쪽저쪽에서 나타났다 사라졌다
더듬이 같은 노란 불빛 깜박깜박
노란 선 이쪽저쪽은 생 멸 生 滅

검은 잿빛 고양이가 길을 건넌다
이승과 저승 갈림길 끊어졌다
잿빛 안개는 아직 사라지지 않았고
검은 까마귀 떼들이 내려앉는다
방금 차려진 생멸의 잔칫상이다

잘 듣는 일

들을 聽은
백성의 소리를 들으려는 임금(王)의
귀(耳)처럼 열고
열 개(十)의 눈(目)으로
살피듯 상대방을 보면서
한(一) 마음(心)으로
기울여 듣는 일(聽)이라네
마음을 모으고
귀를 활짝 연 뒤
찬찬히 살피듯 들어야 하는 일이라네
상대방이 말할 때
건성건성 대충대충
흘려듣고 있지는 않은지
알아차림 하면서
온몸
온 마음으로
기울여 듣는 일이라네

인생 수업료

지금 누리고 있는 모든 것을 위해
얼마큼의 대가를 치렀는지요

지금 만족하다면
지금 행복하다면
지금 평안하다면
가진 전부를 치렀다 하더라도
충분히 가치롭습니다

내가 가진 전부를
누군가 가로챘다고
원망하거나 탓하지 않기를요
원망하고 탓할 시간이면
복수하세요

부러워 죽고 싶을 만큼
진짜 행복하고
진짜 평안하고
진짜 평화롭다면
이미 최고로 멋진 복수를 한 겁니다

* 인생 수업료: 김길순 할머니의 '3억 7천'이라는 시를 읽고

세 가지 UP

젊은이들로부터 따돌림 안 받으려면
세 가지 UP을 해야 한다는 글을 읽었다

젊은이들을 만나면
페이 업(Pay Up), 돈을 잘 내줘야 하고
드레스 업(Dress Up), 옷은 잘 입어야 하며
샷 업(Shut Up), 입은 닫아야 한다

음,
나는 왕따 각이네.

아침부터 잔소리 들어도
마음대로 안 되는 건 접어두고라도
끝에 한 가지는 노력해야겠다

조고각하(照顧脚下)

조고각하,
발밑을 돌아보라

마음이 지금에 있는지 없는지
벗어놓은 신발만 보아도 알 수 있어
가지런히 반듯하게 놓여있다면
신발 벗는 발에 두었다는 거고
이 짝은 저기 저 짝은 여기
삐뚤빼뚤 제멋대로라면
마음이 먼저
방으로 들어갔던 거라고

조고각하,
조고각하!
마음공부 하는 이들이
늘 챙기는 것

가족이 내 뜻대로 잘해도
조고각하
친구가 내 생각대로 잘 안 해도
조고각하

네 마음 살피는 게 아니라
내 마음 살피는 일
조고각하

엄니 아부지 아들딸
형 아우 언니
친구 동료 선후배
세상 사람들은 챙기지 않아도
마음공부 하는 이라면
챙겨야 할 일

엄니 아부지 아들딸
형 아우 언니
친구 동료 선후배가
내 뜻대로 안 한다 해도
서운해하지 않고
조고각하
길벗이 내 말을 안 듣는다고
속상해하지 않고
조고각하

지금 순간순간
조고각하

오로지 내 마음만
조고각하

바람이 불거나 말거나

바람이 분다
처마 밑에 매달린
물고기가 운다

날아든 벌 몇 마리
꽃잎에 코 박고
쉼 없이 날갯짓이다
흔드는 바람 따위는
아랑곳 않겠다는 듯

바람이 불거나 말거나
천둥이 치거나 말거나
오직
꿀을 딸뿐이라는 듯

나도 그래야겠다
눈앞에서 또는 뒤에서 아무리
칭찬 바람이 불거나 말거나
비난 바람이 불거나 말거나
손해 바람이 불거나 말거나
이익 바람이 불거나 말거나

기림 바람이 불거나 말거나
헐뜯음 바람이 불거나 말거나
즐거움 바람이 불거나 말거나
괴로움 바람이 불거나 말거나
흔들림 없이 갈 뿐이어야겠다

백당나무꽃은 다 져버렸는데
숨 막힐 듯 진동하는
쥐똥나무꽃 향기는
천둥소리만큼이나 요란타

제 **3** 부

사무친 그리움이 아니어서 좋다

강바닥
작은 돌멩이
나이로 따지면
내가 수천 번 태어나도
맞먹지 못할 나이

크기도 다르고
생김새도 다르고
나이도 다를 테지만

한 데 있으면 더 어울리고
한데 있어야 더 빛나는 사이

우리도 그런 사이였다
바람 불고 비가 오신 덕분에
맑음이 눈부시게 빛나는 것처럼

어설픈 걸음 길에 만남이어서
맑았고 풋풋하게 좋았다

흐린 날은 흐린 대로

맑은 날은 맑은 대로
더운 날은 더운 대로
추운 날은 추운 대로

굳이,
많은 말 하지 않아도
눈빛에서 전해지는
맑은 따뜻함이
따사롭게 느껴지는 인연

오랫동안 만나지 않았어도
잡은 손에서 전해지는
안부의 말들이 있다

너무 바쁘지 않아서 좋다
너무 한가롭지 않아서 좋다

딱,
이만큼 소중하고
필요한 만큼
곁을 내주고
곁을 받음이 좋다

흐리면 흐린 대로

맑으면 맑은 대로
사무침이 아니어서 좋다
데면데면이 아니어서 좋다

지금이어서 좋다
오늘이어서 좋다

* 천일 이바지(기도)를 마치며

무 소 유

풀밭인지 꽃밭인지
무슨 무슨 꽃인지
그게 무에 그리 중요할까
꽃도 살고 풀도 살면 될걸

가을 하늘처럼
파랗고 파란 하늘
볕 좋은 날
꼼지락꼼지락

구석구석 자질구레한
안 보이면 안 찾고
보이면 쓰는
것들
끄집어내
정리한다

구석이 문제였나
쌓아두는 게 문제였나

구석도 안 쓰고

쌓아두는 버릇도 없애자고
무소 유
무 소유
무 소 유
無所 有
無 所有
無 所 有

다짐하는 날

피고 지고

예쁨이
싱그러움이
환함이
빛남이
고움이
찬란함이
아름다움이
강렬함이

자연의 순리가
보잘 것
없음이

해와 달
별과 구름
비와 바람이랑
피고 지고
피고 지고

먹물 놀이하더니만

흰 구름 잔뜩 끌어다 펼쳐놓고
왼 종일 먹물 놀이하더니만

개와 늑대의 시간
가까워질 즈음

'에잇, 재미없어'

함석지붕
풀꽃 이파리
두드리는 게
더 재밌다는 듯
쏟아붓는다

따다다다다닥
투두두두두둑

들림
들림
들림
알아차림 하는 시간

같을까 다를까

날마다 같아 보이는
날마다 달라 보이는

순간순간 같아 보이는
찰나찰나 달라 보이는

날마다 보이는 곳
날마다 보는 곳

순간순간
엄청난
일이
일어나고 있는

찰나찰나
우주가
바뀌고 있는
그 속
겨자씨보다도
작은

나,

일곱 날

해
달
불
물
나무
쇠
흙

모든 동물
모든 식물에
꼭
필요한 것

나는?

왜, 왜! 왜?

하루 몇 번 아니
수십 번씩
왜 들여다보아야만 하는지
어쩌다 이리되었는지

깨알 같은 글씨
얇디얇은 종잇장
두꺼운 사전을
넘기는 일은
거북 등에 털 나기
토끼 머리에 뿔나기
만큼이나 드문 일 되었고

둘이 만나도 셋이 만나도
넷 다섯이 만나도
눈을 마주 보기보다는
마주 볼지라도
손바닥 안
네모난 틀 보기를 틈마다 하고 있으니

손가락 마디 아래 손톱 옆

굳은살은 엷어져진 지 오래고
벗어나 내려놓자니
쓸모없는 인간 될 것 같고
하루에 몇 번씩 잡고 있자니
노예나 종이 된 듯하고

전화로 소식 묻자니
아무것도 아닌 일로
번거롭게 만드는 건 아닌지
모르겠다는 생각

세상에서
저 혼자
결론 내리고는

지금도
손바닥 네모 틀 안에
갇혀 있구나

상사화(相思花)

행여 오시려나
님 그리워
한 무더기 잎새
서둘러
마중
내보냈건만

타들어 간 애가심
누렇게 바래도록
만날 기미 없어라
닿을 조짐 없어라

사그라지고 바스라져
까마득 아득해 갈 때
속절없이 쑤 욱-

님하,
어쩌자고 이제사 왔소

할아버지 기일에

처음엔, 한 달에 한두 번
사람 구경하기 어려운 산속 외딴집에
웬일로 사람들이 오는 것이 좋았어요

잔치 때처럼 기름질 고소한 내음이
마당 구석구석을 채우고
사람들의 왁자지껄 웅성거림이
어린 마음을 달뜨게도 했고요
그런데…,
뭔가 이상했어요
아부지 엄마 고모들 옷차림이
평소 때와 달랐어요
왈칵 무서웠어요
머리에는 베를 꼬아 만든 끈을 두르셨고
베로 지은 낯선 옷은 치렁거렸고
아부지는 굴건(屈巾)까지 쓰셨어요

더 이상한 건
사람들이 많을 때는
늘 한 가운데 앉아계셨던
할아버지가 보이질 않았어요

흰 가림막(喪廳)을 치고
상을 차려놓고
그 앞에 엎드려 아이고! 아이고!
하다가
사람들과 맞절하면서도
아이고! 아이고!

제사 때나 태우던 향나무 내음이
종일토록 나서 혼란스러웠고
곁에 할아버지가 안 계시다는
사실이 슬펐어요
아니 어쩌면,
무슨 까닭인지 할아버지 마지막 모습을
나만 못 보게 했다는 어른들의 말이
더 속상해서 울었는지 몰라요

이제, 이제 다시는 콧물 훔치던
때 절은 광목 손수건에
손녀딸 주려고 눈치 보며 과자와 사탕을 싸서
봉담배 부스러기 끼어있는 주머니에
챙겨 넣어 오실 일 없을 할아버지
여든일곱 연세에 발목 접진
여섯 살 손녀 업고서 재 너머 아랫마을 침술원
다녀오실 일 없을 할아버지

생전 험한 말이라고는 모르시고
가장 험한 야단이라곤
에이, 개돌이 같은 놈!

그 손녀딸
당신의 무릎에 앉아 두 손으로
당신 수염을 살살 쓸어내리는
장난질에도 함박웃음이시던 할아버지
언제나
내 편이 돼주시던 할아버지가
내 곁에 안 계신다는 사실이
속상해 울었을지도 몰라요

오늘이 그날입니다
당신께서 내 곁을 아니
세상을 떠나신 아니
그렇게 제 안에 살아계신

당신을 많이 기리고 싶은데
제 마음 곳간에는
손녀딸을 많이 아껴주고
챙겨주었다는 사실과
당신 등에 배어나던 땀 내음만 있어요

사무치게 그리운 건 아니에요
목숨 구해주셨음에
귀히 여겨 주셨음에
행복하였네라
따스하였네라
지금도 따스함이 느껴지는 듯
합니다

달밤에

결제(結制)의 밤
구름을 벗어난 달처럼
속박(束縛)으로부터 해제(解制)는
그 안의 일

부여잡지 않으면
그러잡지 않으면
탁 놓으면

순풍(順風)에 돛 단 듯
그렇게 산다는군

옥수수 한 삶을 보며

아메리칸 원주민 수우족은
씨앗 영그는 열매 달 9월을
풀이 마르는 달이라 한다네

대궁이 작고 가늘어도
꽃 피고 알 영글 때는
힘차게 살아 내다가도
알알이 다 영글어
영양분 필요 없어지면
스스로 말라 죽어가는

옥수수 대궁을 보니
수우족의 달 이름 생각나네

해야 할 일
살아야 할 일 있어
살고
할 일
해야 할 일 마치면
꼿꼿한 모양 그대로
잘 가고 있는
세상의 풀들이 다 그런다네

이왕이면

이왕이면
깨끗한 게 좋겠지
깔끔한 게 좋겠지
단순한 게 좋겠지

이왕이면
반듯한 게 좋겠지
부드러운 게 좋겠지
맑은 게 좋겠지

이왕이면
편안한 게 좋겠지
향기로운 게 좋겠지
걸림 없는 게 좋겠지

순간순간
털어내고 쓸어내고 닦아내고
이왕이면

잠깐

높였다 낮추었다
되풀이하는 빗소리

잠깐
멈추었는가
싶었는데
다시
후
두
두
둑

일어나고
사라지고
들렸다
끊겼다

아,
다행
잠깐
눈 맞춤

하였다

잠깐!

늬들이 뭘 알겠어

한 삶에
많은 건 필요 없어

햇빛 공기 바람
가끔 내리는 비

노닥거릴 수 있는 구름
마당에서 웅성거리는
세상 소식이면 되지

어쩌다 문득 누군가
우러러봐 준다면
이보다
더 멋질 순 없지

있음 나와 봐!

* 지붕 위 빗물받이에 자라난 풀들을 보며

가을

파아란 하늘에서
볕을 내리쏟는다

산에 들에
울 마당에
나뭇잎 풀잎
꽃 풀씨 열매
바알갛게 노랗게
곱게도 익어 간다

썰어 널은
무 버섯 가지
꾸덕꾸덕 포슬포슬
쓸모 있게 말라 간다

나도
그
아래
팔 벌리고 있으면
곱게 익어 갈라나
쓸모 있게 말라 갈라나

눈에 들어오는 지금 가을빛

파란빛 하늘
허연빛 구름
노을빛 물드는 조팝나무잎

붉노란 국화
연붉은 맨드라미
푸르뎅가무뎅 백당나무잎
흙 갈빛
짙은 꽈릿빛
거무뎅뎅 검부잿빛 울타리

멀리서 냐웅~ 냐웅~~
분홍빛 귀 길냥이 울음소리
무슨 빛깔일까

더디 더디 가시게

찬 이슬 산등성 골짜기에
서리 되어 나려 앉는지
앉은 뒤 서리가 되는지
이파리들 고운 빛 잃어갈 때

김장 배추들 된서리 맞을까
깊은 밤 새벽도 아랑곳없이
이마 불 달고 스윽- 싹둑!
소리, 비탈밭에 흩뿌리며
두런두런 아침을 부른다

사람 소리 차 소리 바람 소리 한나절
덩달아 구름 붓질 찰나찰나 바쁘고
비인 배추밭 멀뚱멀뚱 바라보던
구경꾼인 양 찰칵!

봉평 산 들녘 가을이
저물어 가고 있다
어깨가 욱신욱신 손이 시려 온다
아,
가을

오면 가지 마오

아니 더디 더디 가주오

그늘과 볕받이

눈처럼 하이얀
반짝이는 서리꽃
햇살이 퍼질수록
함석지붕에서
마른 강아지풀잎에서
나뭇가지에서
쇠 파이프에서
움돋이 양배추에서
뚝
뚝
뚝
그늘이 사라질수록
닭똥 같은 눈물을
떨구며 진다
볕받이가 넓어질수록
병아리 눈물만큼씩
말라 간다

궁금타

부처님 말씀 가운데
무슨 니까야의 무슨 경 무슨 품
몇째 줄까지 아주 자세히 아는 만큼
얼마나 익히고 얼마나 익숙해졌는가

삶에서
사람과 사람 사이에서는
어떻게 쓰고 있는지
탐진치와 분별심은
얼마나 여의었는지

불편함과 괴로움에서는
벗어났는지
헤아릴 수 없는 네 가지 마음은
잘 쓰이고 있는지
너와 나 서로 다르지 않음을
눈이 번쩍 뜨이게 알게 됐는지

오직
나밖에 모를 일이니

한 가지 관점 하나의 틀로만 보면
거의가 아니고
거의가 그럴 수도

활짝 열어둔 마음으로
이렇게도 저렇게도
위에서도 아래에서도
옆에서도
보고 또 보고
자꾸 보고 깊이 보면
아닌 것만은 아닌 것이
보이기도 하는데…,

제 **4**부

그런 사람 또 없습니다

1.
눈에 익은 차 다마스가 들어오는데
마침 바깥에 나갔다가
차를 세우고 막 내리려던 주인을 반깁니다

어, 어서 와요~~
스님, 스승님 생신 선물요~

운전석에서 내리기도 전
내 품에 돼지 한 마리를 안깁니다

어?
으핳하하하하하하하하핳

웃는 눈에 꽃과 리본을 꽂은
파란 돼지를 받아들고는
그만 한바탕 웃음을 터뜨립니다

웃음기를 머금고 돼지가 감고 있는
리본에 쓰여있는 글귀를 읽고는 또 한 번
으핳하하하하하하하하핳

- 급전용 똥침 허용 -
- 불기 2562년 스승님 생신 축하 -

불자도 아니고 종교도 없는 그는
자신의 휴대폰에 나의 이름을
'법혜 인디언'이라고 저장해놓고
가끔 웃음과 감동을 동시에 안기곤 합니다

2.
그는, 재고 저울질하고
계산하는 사람과는 섞이거나 어울리지도 않고
추켜세우거나 칭찬하는 것도 머쓱
싫어라 한다

한 달에 한 번 월급을 받으면서
월급을 받는다는 사실을
신기해하고 대견해하다가도
날씨가 너무 좋은 날
일하면 날씨에 대한 예의가 아니라며
휴가를 내서라도 바람을
하늘을 만나러 간다

선물로 주는 물건일지라도
덥석 받지 않고
쓸모 없어서 버리는 것이라면 챙긴다

나무 깎는 일이 직업이고
취미는 낯선 곳에서 차박하는 것

처음 만나는 사람이랑 잘 어울리며
무엇보다도
있는 그대로 대해서 더 멋지다

3.
장터 좌판에 펼쳐놓은 약초나 물건을 사면서
친구들과 밥이나 차 술과 안주 시켜 먹고서
계산할 때
"여기 외상 되지요? 지금 돈이 없는데 다음에 와서 꼭
갚을게요."

주인이 기가 막힌다는 듯 "안 된다" 금방이라도
경찰을 부를 기세면 신발 깔창 밑에
꼬깃꼬깃 넣어두었던 비상금을 꺼내 계산한 뒤
두 번 다시 그 집은 가지 않고
"그러라"하면 며칠 뒤 달걀 몇 판 또는

꽃을 사 들고 가서 외상값을 갚은 뒤
두고두고 단골을 삼는다

카톡 망상

띵동~
알림음이 울린다
"별고 없으신지요?
따뜻한 목도리와 뜨거운 생강차가
저절로 생각나는 날씨네요
모쪼록 건강 잘 챙기시길요~~"
로 보내는 게 나을까

띵동~ "별고 없나요?"
띵동~ "따뜻한"
띵동~ "목도리"
띵동~ "뜨거운"
띵동~ "생강차가"
띵동~ "저절로"
띵동~ "생각나는"
띵동~ "날씨네요"
띵동~ "모쪼록"
띵동~ "건강"
띵동~ "잘 챙기세요~"
가 나을까

요즘 같은 통신 기능이 아닌
사람이 배달해 줘야 한다면
한꺼번에 나르는 게 나을까
조금씩 나르는 게 나을까

가끔
낱말 몇 개씩 여러 번
문자를 받다가
문자를 받다가
망상이랑 놀다가

알림음 죽였다

산할머이

산할머이라 불리던 나의 할머니가
들려주던 옛이야기 속에는
지금도 궁금해지는 이야기가 있다

장평 넘어가는 길 더운골 재와
도사리 넘어가는 앵피리골 재
그 사이 어드메는 나랏일 하는
큰 사람이 나오는 혈(穴)자리라는구면
아 근데 숭악한 일본눔덜이 그 소리를 들었는지
맥(脈)을 끊겠다고 쇠를 묻었지 뭐여
시방도 풀 한 포기 나무 한 포기 안 나

나물 뜯으러
약초 캐러
길도 없는 온 산을 샅샅이 뒤지고 다니시던
할머니는 가끔
알아들을 수 없는 옛날이야기 같은 말을 하셨다

산 어디를 가면 범(虎)의 굴이 있어 오금이 저려졌다는
또 어디를 가면 산짐승의 노린내가 난다는
또 어드메선 발이 떨어지지 않아

한참 애를 쓰고 애를 먹었다는
또 어디선가는 몇 번이나 같은 곳만 제자리 돌 듯
헤매다 어둑해져 간담 등골이 서늘해졌다는

그럴 때마다 산신령에게 빌고 빌어
발이 떨어지면 집으로 돌아올 수 있었다던
할머니의 이야기는 아득한 옛날이야기가 되었고
더운골 재 아래는 터널이 생기고
앵피리골 재 옆은 차도 넘을 수 있는
신작로보다 넓은 임로(林路)가 생겼다

숭악한 일본눔덜이 묻었다던 쇠
아직도 그 어드메 그 자리에 있을까
길도 경계도 없지만 내 집 앞길 다니듯
다니시던 그 산들 이제는 범이나 늑대
갈가지가 나오는 것도 아니건만
함부로 들어갈 수 없는 금단의 땅이 되었다

금줄마냥 쳐놓은 줄을 넘어갔다간
더 무섭고 숭악한 벌금이 들이닥친다니

그나저나 숭악한 일본눔덜이
진짜로 맥을 끊을라고 쇠를 묻었을까

생멸(生滅)

숲
그 속에서는
산
그 안에서는

지난밤 지난 낮
쓰러져간
죽어가는
나무들 있네

지난 낮 지난밤
살리는
살아가는
생명들 있네

내가
숨 쉴
수 있는 까닭이네

나의 외할아버지

나의 외할아버지는 법 없이도 살 거라는
착하디착한 이웃이었고 외손녀에겐 조건 없이
인자하였다

산골의 흙내 땀내 배어있는 적삼이
필요치 않은 공단 지역
변두리 판자촌으로 올라와
품을 팔 수도 없어
우두커니 앉아
볼우물 움푹 파이도록
담배 연기만 빨아들이던
나의 외할아버지는
TV 뉴스에서 김대중이 나오면 돌변했다

저눔은 빨갱이여
저눔의 빨갱이는 죽여야 해
어떻게 지켜낸 우리나라 내 조국인데
빨갱이가 설쳐대게 할 수 없다
김일성이와 다름없는 빨갱이가
나라를 망하게 할 수 없다
빨갱이 때문에 나라가 망한다며

철천지원수를 만난 듯
이를 갈아 물며 화를 내곤 했다

육이오 때 전쟁터로 끌려가
밥도 제대로 못 먹으며
적군을 무찌르기 위해
죽음의 등성이를 넘고 넘다가
다치는 바람에
무려 아홉 해를
전쟁터에 잡혀 있어야 했던 외할아버지는
TV 속 김대중과도 전쟁 중이었다

전쟁 중의 외할아버지는
인자함이라곤 온데간데없었다
눈빛은 차갑게 번뜩이고 있었고
금방이라도 적군을 향해
총칼을 휘두르며 달려들 것만 같았다

외할아버지 머릿속 빨갱이는
대한민국 대통령이 되었고
외할아버지가 염려하던 세상은 오지 않았다

살아계셨으면 끌탕깨나 하셨을
어쩌면

광화문으로 날마다 출근하고 계셨을지 모르고
외손녀와도 전쟁하셨을지도 모를

외할아버지는
다행히도
빨갱이가 대통령이 되기 전
돌아가셨다

청개구리가 뭘 어쨌기에

죄 없는 청개구리
오늘도 여기저기 불려 나오네

한국뿐만이 아니라
일본, 아시아 중부; 유럽, 북아프리카
말고도 여러 군데에 살고
발가락 끝에 빨판이 있어
잘 미끄러지지도 않을뿐더러
둘레 환경에 따라 몸 빛깔도
융통성 있게 잘 바꿀 줄 알고
습도가 높은 날이면 목 푸느라
개굴개굴
턱 밑에 울음주머니가 있는 수컷이
암컷이 알을 낳을 때 위로하느라
개굴개굴
좀 한 것을 가지고

이름도 저들 마음대로 짓더니
부모 말 안 듣고 속 썩이는
불효자에 나쁜 본보기의 이야기
주인공으로 끌어다 쓴 뒤

몸길이 겨우 2.5에서 4센티 지니지 않는 나를
걸핏하면 복닥거리는 저들끼리의
인간사 수다 공론에 끌어들이는 것도 모자라
툭하면 열두 동물 띠에도 없는
청개구리 띠인가 청개구리 닮았네
입방아들 짓찧으면서
핑계들 대다니

내가 뭘 어쨌다구

가는 봄 먹는 봄

꽃눈이 벙글고 꽃봉오리가
터지기 전까지는 초겨울 날씨처럼
싸늘하니 춥다가 비가 오신 어느 날 뒤
부터는 한여름 날씨처럼 뜨거워져
서둘러 부랴부랴 피워내느라
꽃잎이 작은 참꽃
하루가 다르게
툭! 툭! 툭!
참꽃을
어제
오후에야
알게 되었고
앞뒤 안 가리고
몇 잎 따다가 꽃전을
부쳐 한 송이 한입 가득
사르르 게 눈 감추듯 먹는다
곁들여 싱그러운 무잔대싹 버무리도
'이맘때면' 하던 말 곧 사라질지도 몰라
내일을 기약하지 못하겠는 봄이다
지금, 이 봄을 한껏 누리자

* 무잔대싹: 영아자 새순
* 버무리: 샐러드

마음도 그래

나풀나풀 꽃비 나리시는 날
방에서 방으로 이사를 한다
보이지 않는 뒤쪽 구석구석 마다
켜켜이 쌓인 먼지가 말을 건다

– 보이는 데만 쓸고 닦으면 뭐 하니?
– 그래서 이렇게 뒤집어 보잖아

– 마음도 그래
– 그래

가이드 임란 칸

인도에는 인도(人道)가 없고
네팔에는 네 팔이 없고
부탄에는 부탄가스가 없어요

이마 위 가르마에 빨간 칠을 한 여자는
결혼한 여자, 남편이 있다는 뜻이에요
그리고 발가락에 반지를 낀 여자도 있어요
남편이 있다는 뜻이에요
그런데 반지를 두 개 한 여자도 있어요
그 사람은 남편이 둘 ─────────
─────── 이라는 뜻 ────────
은 아니고요

여자들이 입는 옷이 두 종류가 있어요
제일 많이 보는 옷이 사리예요
뱃살이 다 나오는 옷 있잖아요
그게 사리예요
살이 보여서 사리예요

농담이에요

모두는 깔깔깔 웃었다

가정을 돌보지 않는 술꾼 아버지 대신
아이들 학교 보내며 고생하는 어머니
걱정 덜어드리려 열세 살부터 일 했단다
학교 다니면서 식당일 배달 일 닥치는 대로

한국말 배워 가이드 된 뒤부터 집 떠나 사는데
십 년 전 어머니가 암으로 세상 떠난 뒤
가장이 되어 동생 셋을 거두고
둘을 결혼시키고
술꾼 아버지 술 끊고 함께 살자 했다는
친절하고 똑똑한 가이드 임란 칸

카필라왓투 가이드 하다가
전화 받고 낯빛이 순간 어두워졌다
매제가 오토바이 사고를 당해
늑골 뼈 다리뼈가 부러진 데다
머리까지 다쳐서 중환자실에 누워있다는
소식에

모두는
그를 위해
그의 매제를 위해

기도를 드렸다

* 임란 칸 : 성지순례 때 인연 맺은 가이드.
매제는 하루가 다르게 호전되어 중환자실에서 일반실로 나왔
고 다리 수술까지 잘 받았으나 합병증 가운데 하나인 폐혈증
으로 끝내는 사망했다. 매제의 두 아들과 여동생은 임란 칸
이 거두어야 한단다.

커서 뭐가 될 거니?

어려서 철없을 때는
많은 일과 많은 말들이
선뜻 이해하기 어려웠어
어쩌면 이해하고 싶지 않고
알고 싶지 않았을지도
모를 일이고

한 해 두 해
나이가 늘어 간다고
저절로 철이 드는 건 아니라는군
알고 싶지 않다는 말들
이해하고 싶지 않다는 생각들
여전하다면 깨트려 버려야 한다더군

고운 단풍처럼 나이가 든다는 건 말이야
넉넉하고 너그러워지는 일이래
느긋하고 여유로워지는 일이래
바늘 하나 꽂을 자리 없이 빽빽하던 게
말랑말랑해지고 텅 비어있기도 한
그래서 아름답고 멋있어지는 일이래

푸른 향기 맑은 바람 마시면서
푸른 말 맑은 삶 살다 보면
그리 될거나

나는
지금 자라는 중

내 그럴 줄 알았어

벌들이 바쁜
향누리 달에만 있는 일

문득 떠오르는 글귀
순간 스치는 낱말들 있다

나중에 적지 뭐

헸지만 나중에 적는 일
따위는 거의 없다

이 몹쓸 기억

숨 막힐 듯한
쥐똥나무 향기 따라
윙윙윙 붕붕붕붕

벌 날갯짓 소리 따라
기억까지 울렁거리는데
나중에 또 생각나겠지

생각
날 리가 있나

내 그럴 줄 알았어

안녕하신가

밤이 새는 동안 풀빛은
발그레 노르스름빛으로
흰빛이 불그레 분홍빛으로
노랗게 빨갛게 고와지다가
검은빛으로 훅- 바뀌고 푹-
꺾이는 누룸의 섭리
올해는 늦다 아니다 더디다
탈이 난 까닭

고와도 곱다 반기지 못하겠고
따뜻해서 좋아도 좋다 못 하겠다
기후악당국에 살고 있는 까닭에
욕망과 어리석음이
누룸이 누룸답지 못하도록
쉼 없이 달려가고 있기에
안녕
못하다

* 누룸 : 자연을 뜻하는 백기완 선생의 우리말

잠깐

잠깐,
잠깐만요

아주 잠깐만
아무것도 하지 말고
그냥 멈추어 보아요

보이는 대로 들리는 대로
느끼는 대로 일어나는 대로
알아주면서요

숨결과 숨결
시간과 시간
사람과 사람
삶과 삶에는 꼭
필요한
,
있거든요

돼지 잡은 날

스승님 생신날 들어온 돼지 한 마리
특별히 똥침 허용이 되는 돼지
두서너 사람이 재미로 똥침을 놓은 뒤로는
쫄쫄쫄 굶기 일쑤였다

날씨가 너무 더운데다가
가물기까지 하여
곡식 나무꽃들도 헉헉거리니
농부들은 새벽 저녁으로 물 대느라 바쁘다

풀들은 밤새
몰래 숨겨놓은 영양제라도 먹는 건지
물 한 바가지 주지 않아도
여무는 씨앗에 튼실한 뿌리가 장난 아니다

맥없이 지켜보다가
풀 깎는 기계라도 있으면 좋겠다
폭폭 한숨 내쉬며 타령하자
돼지 안고 온 처자
돼지 잡아요
이럴 때 잡는 거예요

칼을 들고 멱을 따니
꽤액- 소리도 못 지르고
그만 속을 훤히 드러낸다

배낭 메듯 메고 부탄가스로 돌리는 풀 깎는 기계
배달받고 바로 조립해서 겨우 십분 남짓
마당 끝 풀 쪼금 쳤을 뿐인데
팔은 사흘 넘게 욱씬- 후덜덜더ㄹ-

돼지 잡아서 샀으니
오래도록 잘 써야지

사랑, 돌이켜 보면

눈부심이었습니다
벅찬 설레임이었습니다
아련한 그리움이었습니다

가슴 저미는 아픔이었습니다
말 못 할 미움이었습니다
솟아나는 미안함이었습니다

그리고
피어나는 웃음입니다
온 마음으로
두고두고 느끼는
고 마 움
입니다

차를 마시며

주전자 물 끓는 소리
떨어지는 낙숫물 소리
가슴 한복판으로 쏟아지고

저문 밤
애써 한가로운 듯
잠 못 드는 이의 넋두리에
바람은 무거워라

오늘도
달빛은 아니 오시고
아까운 차만 축나고
마실수록
또렷해지는 망상

사람이

사람이,
지금껏 만났던 사람이 나를 살게 합니다
지금 만나는 사람이 나를 살게 합니다
앞으로 만날 사람이 나를 살게 할 겁니다

사람이
나를 숨 쉬게 하고
바로 서게 하는 법입니다
사람 안에서
비로소 '나'가 아닌
'나'가 되어야 함을 알고
사람 안에서
비로소 '나'가 아닌
'나'로 서야 함을 압니다

내 안의 '나'를 사루고
오롯이 '나'여야 함을

추천사 대신, 롤링 페이퍼

법혜스님과 그리움이라는 말이 잘 어울리는지는 모르겠습니다. 스님의 웃는 얼굴을 보면서 사무친다는 말이 떠오르는 이유도 모르겠습니다. 아니라서 좋다는 말하면서 달의 뒷모습처럼 울고 있지는 않았으면 좋겠습니다.
머무는 자리마다 그리움으로 길을 만드는 사람, 시집을 열고 함께 걸어가고 싶어지는 마음입니다. 사무치는 그리움이 아니라서 좋습니다. 그리워하고 싶을 때 바라볼 수 있는 달빛이라서 은은하게 좋은 마음으로 **– 시인 김고니**

여기! 강원도 평창. 작은 시골집에 아주 별난 스님이 계십니다. 출가 이유도 "어중이떠중이는 되지 말자"였다지요? 연등도 글쎄...직접 서원을 밝히지 않으면 달아 주지도 않는대요. 언젠가 산방에 찾아갔을 때 손수 커피를 내려주시는 모습이 낯설어 "스님은 녹차 같은 거 드시지 않나요?" 하면 빙긋 웃기만 하시던 그 모습. 지난번 에세이도 참 좋았었는데, 이번에는 시집까지. 그런데 제목부터가 예사롭지 않네요. 삶을 녹여 낸 시어들도 그렇고, 아무튼 참 특이하세요. **– 디카시인 김기린**

미얀마의 어느 사찰에서 스님과 한방에서 3년 남짓 함께 살면서 수양딸과 어머니로 인연 맺은 선우(웨노에)입니다.
대학(한국어과)을 막 졸업하고 국제선원에서 한국에서 온 수행자들을 위해 통역을 시작했지만, 제게 한국어 문법과 어휘는 너무 어렵기만 했습니다. 그때 스님께서 (번번이) 도와주셨습니다. 스님은 다른 한국 분들과 다르다는 걸 그때 알았습니다.

스님은, 제게 낱말(단어) 하나를 설명할 때도 낱말과 낱말 설명에 그치지 않고 일상에서 어떻게 쓰이는지, 어감은 어떤지를 자세히 설명해주셨습니다.

그때 저는, '스님이 책을 내면 좋겠다'라고 생각했는데…, 저의 소원이 이루어진 거 같아 정말 기분이 좋습니다.

시를 쓸 때 낱말 하나를 고를 때도 많은 고민을 하셨을 겁니다. 독자님들께서도 시를 감상할 때, 스님이 고민해 쓴 낱말의 어감(語感)을 감상해 본다면, 더 나아가 어절(語節), 짧은 글귀, 긴 글귀에 쓰인 낱말과 전체의 느낌을 아울러 느껴보시기를 바랍니다. **- 웨노에(선우), 연세대 국어국문학 박사과정 수료**

'모든 면에서는 적당하나 사랑스러움은 넘친다'라는 느낌을 주는 사람! **- 목수 김시진**

작은 것에도 진심을 담아 숨을 불어넣고 정성으로 꽃피우는 사람! **- 이상희, 도로공사 근무**

고요를 간직하고 출렁이지 않으며 모르는 곳으로 넘어가려는 부지런함이 묻어나지만 크게 드러내지는 않는 사람! **- 수정향. 도서관 근무**

"착한 게 무조건 좋은 게 아니다. 지혜로운 사람이 되어야 한다"라고 일깨워주는 인생 멘토! **- 수마나, 보건소 근무**

십 년째 봐 온 스님은, 그날이 그날처럼 시작과 끝이 같은 사람! **- 담마 수카, 캠핑장 운영**

닮은 생각으로 같은 방향을 바라보며 가는 길벗 같고, 스승 같은 맑은 법혜스님을 만났다는 건 큰 축복이다. 시집이 나온 다는 소식에 설렘과 반가움이 먼저 마중 나간다. **- 최그라시아**

온화한 미소와 부드러운 말로 많은 이들을 편하게 하는 분! **- 주띠마, 자영업**

불교와 철학을 배우고 싶게 하고 나 자신을 돌아볼 기회와 마음의 힘을 키울 수 있게 도와주는 분! **- 이하윤, 크레인**

어른 다운 '어른'이 무엇인지 보여주며, 삶의 선배로 수행자 로, 인생의 선택지 앞에서 고민할 때 올바른 선택을 할 수 있도록 도와주는 분! **- 일러스트레이터 선미화**